D1029658

DES CANADIENS CÉLÈBRES

Louis Riel

par Carol Koopmans

Publié par Weigl Educational Publishers Limited
6325, 10 Rue SE
Calgary, Alberta, Canada
T2H 2Z9

Site Web : www.weigl.com

Catalogage de Bibliothèque et Archives Canada dans la publication

Données de catalogage de Bibliothèque et Archives Canada dans la publication disponibles sur demande. Télécopieur (403) 233-7769 à l'attention du service des dossiers d'édition.

ISBN 978-1- 77071-355-0

Imprimé aux États-Unis d'Amérique, North Mankato, Minnesota
1 2 3 4 5 6 7 8 9 0 14 13 12 11 10

072010
WEP230610

Rédactrice : Heather C. Hudak
Conception : Terry Paulhus

Crédit photos
Alamy : pages 6, 19; Galerie du patrimoine canadien/www.canadianheritage.com : page 18 (numéro 21943 / Archives publiques de l'Ontario / S271); Getty Images : pages 3, 5 arrière, 7 partie supérieure gauche, 7 partie centre supérieure, 7 partie supérieure droite, 7 partie inférieure gauche, 8, 13 partie inférieure, 14; Glenbow Archives : pages 1 (NA-789-52), 5 couverture (NA-2631-2), 12 (NA-1480-2), 20 (NA-47-28); Bibliothèque et Archives Canada : page 15 (a074103), 16 (C-015282), 17 (C-002424); The Manitoba Museum : page 10; Archives provinciales de l'Alberta : page 9

Nous reconnaissons l'aide financière du gouvernement du Canada par l'entremise du Fonds du livre du Canada pour nos activitiés d'édition.

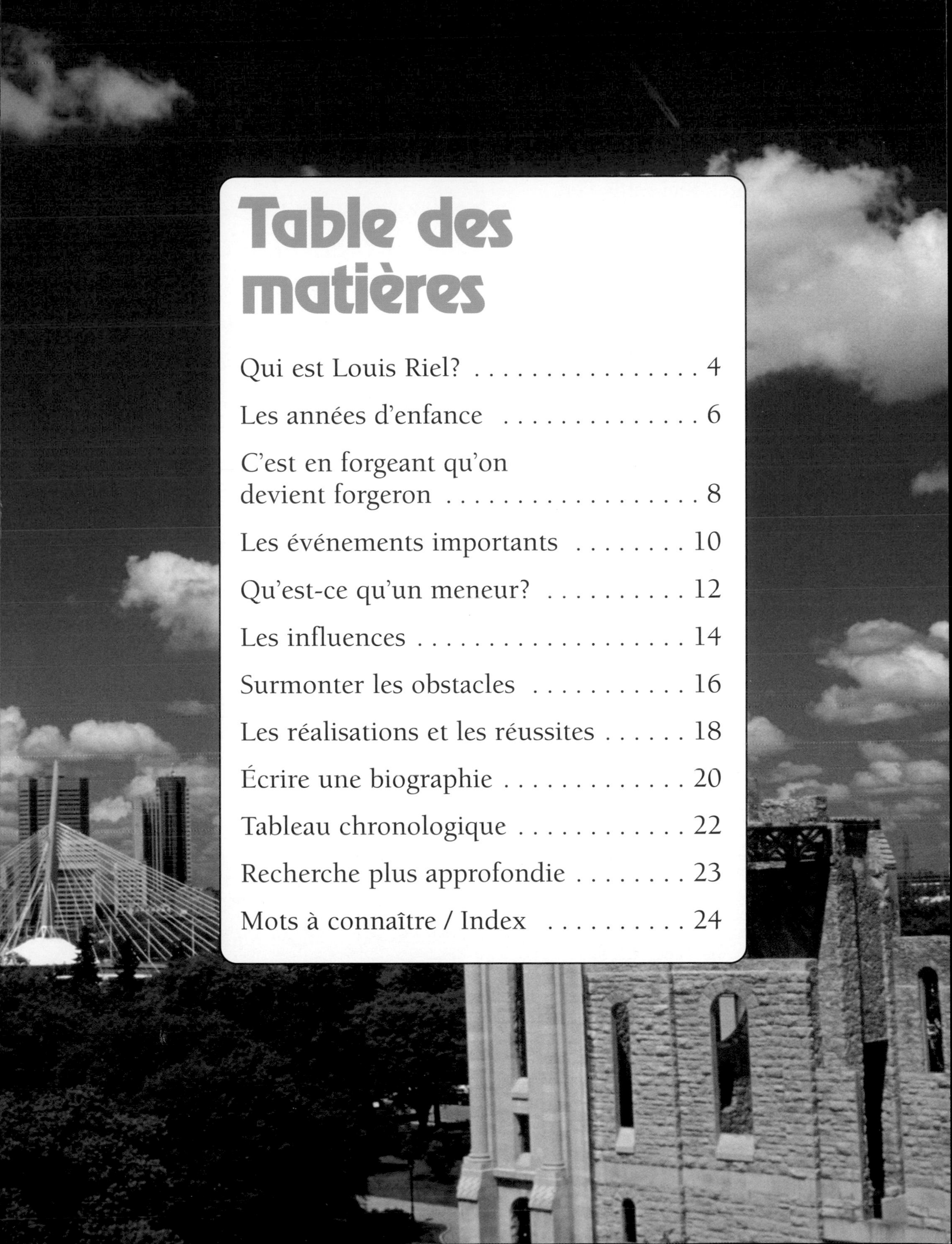

Table des matières

Qui est Louis Riel?

Louis Riel est le Père fondateur du Manitoba. Dans les années 1880, il a aidé les **Métis** à défendre leur égalité des droits à posséder des terres, à parler français et à construire des écoles catholiques. Riel a travaillé inlassablement pour cette cause. Il rêvait de bâtir une nation qui assurerait les droits de tous ses citoyens vivant à l'intérieur de ses frontières. Tous les Canadiens ont bénéficié de cette vision. Bien qu'il fut pendu pour **trahison** en 1885, les Canadiens considèrent que Louis Riel a été un pionnier dans la promotion des droits de tous, et des minorités en particulier.

« Tout ce que j'ai fait et risqué... je l'ai fait avec la conviction que c'était mon devoir et que j'étais appelé à faire quelque chose pour mon pays... »

Les années d'enfance

Le Canada n'était pas encore une nation lorsque Louis Riel naquit le 22 octobre 1844. Louis avait 11 frères et sœurs, mais neuf seulement vécurent jusqu'à l'âge adulte. Comme il était l'aîné de la famille, Louis était un modèle de rôle pour ses frères et sœurs.

Louis Riel a grandi dans la paroisse de Saint-Boniface, près de Lower Fort Garry, parmi les Canadiens-français et les Métis. Ses parents étaient respectés au sein de la communauté. Le père de Louis était un fervent partisan de l'usage du français et de l'anglais au tribunal.

Les parents de Louis Riel étaient d'origines française, britannique et **autochtone**, et dans son enfance, Louis a appris les coutumes de chacune de ces cultures. La culture française lui est venue de sa mère, Julie Lagimodière. Il a appris les coutumes des Métis de son père. Il a appris à parler couramment le français, le cri et un peu d'anglais. Il passait facilement d'une culture à l'autre.

Aujourd'hui, la Maison-Riel est un lieu historique national du Canada.

Coup d'œil sur le Manitoba

ARBRE
Épinette blanche

OISEAU
Chouette lapone

FLEUR
Anémone des prairies

Le nom « Manitoba » vient des mots Manitou bou de langue crie. Ce qui signifie le « passage du Grand Esprit ».

Jusqu'en 1870, le Manitoba faisait partie de la Terre de Rupert. Cette terre appartenait à la Compagnie de la Baie d'Hudson et couvrait la Saskatchewan d'aujourd'hui et certaines parties de l'Alberta, de l'Ontario, du Nunavut et du Québec.

Fort Garry devint le site de la capitale du Manitoba, Winnipeg.

La population du Manitoba est d'environ 1,2 million de personnes.

Qu'en dites-vous?

Louis Riel a grandi dans la paroisse francophone et Métis de Saint-Boniface, dans la colonie de la Rivière-Rouge. En 1860, 10 000 Métis et 1600 membres des Premières nations vivaient dans la colonie de la Rivière-Rouge. Pensez à l'endroit où vous vivez. Qui étaient les premiers colons de votre région? Quand sont-ils arrivés et comment vivaient-ils? Pensez maintenant à l'endroit où vous vivez aujourd'hui. Qu'est-ce qui a changé avec les années? Quelle sont les cultures de votre ville ou village? Faites un tableau comparant la vie d'aujourd'hui à celle des pionniers de votre communauté.

C'est en forgeant qu'on devient forgeron

Louis Riel fut élevé dans un grand respect pour l'Église catholique romaine. Sa famille allait à l'église régulièrement. Lorsque Louis commença à aller à l'école, les religieuses et les prêtres remarquèrent rapidement qu'il avait du talent pour l'apprentissage. Ils l'ont aidé et encouragé. Louis était vif d'esprit, curieux et gentil. Ses parents priaient pour qu'il devienne prêtre.

Quand Louis n'étudiait pas, n'aidait pas aux corvées ou ne jouait pas, il aimait écouter les **aînés** raconter des histoires. On parlait beaucoup des nouveaux arrivants dans la région. Ces personnes venaient des régions de l'Est du Canada et de la Grande-Bretagne afin d'établir des fermes dans la région. La venue de ces concessionnaires d'un homestead dans les terres des Métis posa un problème. Bien que les Métis aient cultivé et chassé dans cette région depuis de nombreuses années, ils n'avaient aucune preuve de propriété ni de lois protégeant leurs droits sur ces terres. Louis Riel fut à même de constater personnellement les problèmes que cela provoqua.

La colonie de la Rivière-Rouge était située le long des rivières Rouge et Assiniboine, la région que couvrent aujourd'hui le Manitoba et le Dakota du Nord.

Lorsque Louis était âgé de 14 ans, Monseigneur Taché, l'évêque de sa région scolaire, l'envoya au Collège de Montréal. C'était une chance exceptionnelle, et toute la ville mettait beaucoup d'espoir en Louis.

FAITS EN BREF

- Après son départ du collège, Louis travailla comme commis dans un cabinet d'avocats à Montréal.
- Le père de Louis pris part à la **résistance** contre la Compagnie de la Baie d'Hudson en 1839. Les Métis obtinrent alors le droit de négocier.

Le voyage jusqu'au collège fut difficile. Il fallut six semaines par char à boeuf, par bateau à vapeur et par train pour arriver à Montréal. Petit à petit, Louis s'intégra à la vie du Collège de Montréal. Il étudia le grec, le latin, la philosophie et la religion. C'était un élève sérieux et un fervent et talentueux **orateur**.

En 1864, Louis apprit la mort de son père. Il n'avait pas vu son père depuis qu'il étudiait à Montréal, et il fut dévasté par cette nouvelle. Trois mois avant d'obtenir son diplôme, Louis commença à perdre intérêt dans ses études. Il cessa de vivre au collège et déménagea dans un **couvent** à proximité. Pendant un certain temps, Louis continua d'aller à l'école. Toutefois, comme il avait raté beaucoup de cours, on lui demanda de quitter le collège.

Avant de revenir au Manitoba en 1868, Louis Riel eut de nombreux emplois et passa quelques temps aux États-Unis.

Les événements importants

En 1868, la Compagnie de la Baie d'Hudson décida de vendre la Terre de Rupert au nouveau gouvernement du Canada. Cette décision contraria les Métis. Ils n'avaient aucun titre pour ces terres et ne pouvaient prouver qu'elles leur appartenaient. Les Métis craignaient que les colons britanniques occupent leurs terres et qu'ils leur imposent leur langue et leur culture.

Pour exprimer leurs inquiétudes, les Métis fondèrent le Comité National des Métis. À titre de secrétaire du Comité, Louis Riel avisa le gouvernement que toute tentative de contrôle de la colonie de la Rivière-Rouge, sans d'abord négocier avec les Métis, s'opposerait à une résistance. Le gouvernement tenta néanmoins de pénétrer dans la région.

En novembre 1869, Louis Riel et les Métis s'emparèrent de Fort Garry. Ils formèrent un gouvernement **provisoire** et, dans les mois suivants, négocièrent leurs conditions, notamment la liste des droits des Métis, pour se joindre à la **Confédération**. La résistance de la Rivière-Rouge de 1870 se termina par une victoire avec la création du Manitoba. Après la résistance, Louis Riel partit aux États-Unis. Il fut mis en **exil** par le gouvernement en 1875. Neuf ans plus tard, Louis revint dans la région qui est aujourd'hui la Saskatchewan pour diriger la **Résistance du Nord-Ouest.**

Le premier gouvernement provisoire de Louis Riel en 1869 était une étape vers la négociation de l'entrée du Manitoba dans la Confédération.

Les pensées de Louis Riel

Louis Riel fit de nombreux discours et écrivit beaucoup de lettres. Voici certaines de ses déclarations.

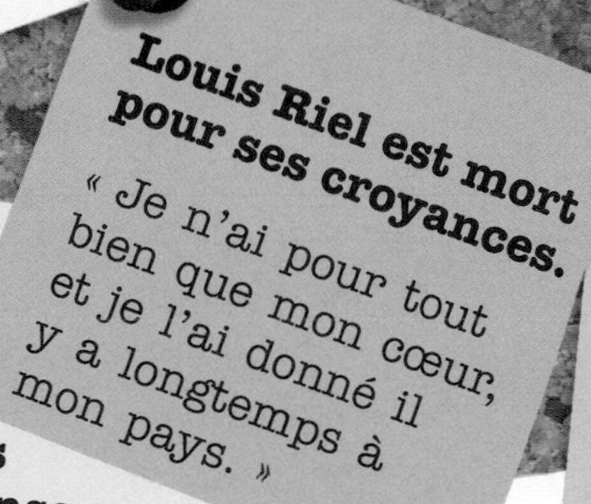

Louis Riel est mort pour ses croyances.

« Je n'ai pour tout bien que mon cœur, et je l'ai donné il y a longtemps à mon pays. »

Louis Riel voulait transmettre l'histoire des Métis aux générations futures.

« Nous devons chérir notre héritage. Nous devons préserver notre nationalité pour les jeunes de demain. Il faut écrire l'histoire pour qu'elle puisse être transmise. »

Louis Riel était très engagé dans la défense des droits des Métis.

« N'importe ce qui arrivera maintenant, les droits des Métis sont assurés par la Loi sur le Manitoba : c'est ce que j'ai voulu – Ma mission est finie. »

Louis Riel espérait que la colonie de la Rivière-Rouge s'agrandisse alors qu'il était en exil.

« Que Dieu protège la petite nation métisse et la fasse prospérer. »

Louis Riel a rencontré les représentants du gouvernement.

« Nous voulons seulement nos droits justes comme des sujets britanniques, et nous voudrions que les Anglais se joignent à nous simplement pour obtenir ces droits. »

Louis Riel a une vision pour l'avenir.

« Mon peuple dormira pendant cent ans. Lorsqu'il s'éveillera, ce seront les artistes qui lui rendront son âme ».

Qu'est-ce qu'un meneur?

Le meneur est souvent quelqu'un de visionnaire qui veut atteindre des buts précis. Il met à profit son éducation, son expérience et ses compétences pour atteindre ces buts. Le meneur peut être quelqu'un qui attire l'attention sur des sujets importants qui touchent les gens partout dans le monde.

De nombreux Métis estiment que Louis Riel est un héros. C'était un meneur qui faisait valoir les droits des Métis, qui guidait et inspirait les gens. Louis Riel était un dirigeant politique. Il fut élu pour représenter les Métis lorsqu'ils confrontèrent le gouvernement pour revendiquer leurs droits et libertés.

Malgré son exil, Louis Riel fut élu à l'Assemblée législative du Manitoba à trois reprises.

Meneurs 101

Todd Ducharme

Réalisations En 1986, Todd Ducharme a obtenu un baccalauréat en droit de l'Université de Toronto et, cinq ans plus tard, il terminait sa maîtrise à la faculté de droit de Yale. Après de nombreuses années d'études universitaires, Todd Ducharme a été reçu avocat. En 2004, il est devenu le premier Métis nommé juge à la Cour supérieure de justice de l'Ontario.

Christi Belcourt (1966–)

Réalisations Christi est artiste, professeure d'art et auteure. Ses tableaux rendent hommage à la beauté de la nature. Fière de son **patrimoine** métis, Christi s'est consacrée à l'étude des plantes traditionnelles, et elle a écrit *Medicines to Help Us*. L'œuvre de Christi fait partie des collections permanentes de la *Thunder Bay Art Gallery* et du Musée canadien des civilisations. Christi a reçu de nombreux prix pour son oeuvre artistique du Conseil des Arts du Canada, du Conseil des arts de l'Ontario et de la *Métis Nation of Ontario*.

Douglas Cardinal (1934–)

Réalisations Douglas Cardinal est un architecte reconnu. Ses édifices se distinguent par les lignes courbes et accentuées qui caractérisent son style. En 1999, l'Institut royal d'architecture du Canada lui a remis une médaille d'or. Cet honneur est le plus prestigieux remis à un architecte au Canada. En 2000, il avait déjà reçu sept doctorats honorifiques en reconnaissance de sa contribution à l'architecture. En 2001, Il a reçu le Prix du gouverneur général en arts visuels et médiatiques.

Maria Campbell (1940–)

Réalisations Maria, auteure de livres pour enfants, raconte des histoires sur les traditions des Métis. *People of the Buffalo, Riel's People* et *Little Badger and the Fire Spirit* figurent parmi ses livres les plus connus. En 1979, Maria est devenue écrivain résident à l'Université d'Alberta.

La liste des droits des Métis

Les Métis voulaient que le gouvernement canadien prenne en considération leurs droits avant d'accepter de se joindre à la Confédération. Sous la gouverne de Riel, le gouvernement provisoire a rédigé une liste des droits. Beaucoup de ces droits étaient compris dans la Loi de 1870 sur le Manitoba lorsque la province est officiellement devenue canadienne.

Les influences

La vie de Louis Riel a été façonnée par de nombreuses influences, et l'église catholique en fut l'une des plus importantes. Ceux qui ont connu Louis Riel, ou qui lui ont enseigné, disaient que Monseigneur Taché fut l'un de ceux qui eut la plus grande influence sur lui. Monseigneur Taché arriva de Montréal tout juste après la naissance de Louis. Au cours des années, Monseigneur Taché avait décelé le potentiel de meneur de Louis. Il devint un mentor pour Louis. Monseigneur Taché avait décidé d'envoyer Louis au Collège catholique de Montréal et lui trouva un parrain qui en assuma les coûts.

Monseigneur Taché a servi de guide à Louis en l'encadrant dans sa vie quotidienne. Il prêchait par l'exemple. Louis a appris l'importance de l'obéissance, de l'ordre et du travail. Il respectait Monseigneur Taché qui était un homme éduqué à l'élocution soignée. Il le prenait pour modèle. Cela a aidé Louis à avoir du succès dans ses études.

La cathédrale Saint-Boniface, où Louis Riel a été enterré, a souvent été reconstruite depuis le début des années 1800.

Au cours des dernières années de la lutte politique, Monseigneur Taché a toujours soutenu Louis Riel. Louis se fiait aux opinions et aux conseils de Monseigneur Taché. Le gouvernement considérait Monseigneur Taché comme la voix de la raison et l'avait choisi pour être un négociateur important entre le gouvernement d'Ottawa et les Métis. Monseigneur Taché a aidé à faire inclure les droits des Métis dans la Loi de 1870 sur le Manitoba. Ce faisant, il a aidé à coordonner l'union des régions de l'Ouest canadien dans la Confédération.

ALEXANDRE-ANTONIN TACHÉ

Alexandre-Antonin Taché s'est consacré toute sa vie à son rôle de missionnaire pionnier. Ordonné prêtre à Montréal, il part vers l'Ouest en canot. Il atteint la colonie de la Rivière-Rouge en 1845. Il arrive juste au moment où les Métis commencent leur lutte pour conserver leur langue et leurs droits.

Durant les années 1870 et 1880, Monseigneur Taché voyage dans l'Ouest canadien afin de fonder des missions catholiques. Il presse également les Canadiens-français à venir s'établir dans l'Ouest. À la suite de la Résistance du Nord-Ouest en 1885, Monseigneur Taché continue de soutenir la lutte de Louis Riel pour défendre les doits des Métis. Il fait campagne pour la séparation des écoles catholiques et les droits de la langue française jusqu'à sa mort en 1894.

Monseigneur Taché fut une figure importante dans le développement de l'Église catholique romaine dans l'Ouest canadien.

Surmonter les obstacles

En 1875, Louis Riel fut exilé en raison de son rôle de meneur dans la résistance de la Rivière-Rouge, il partit dans le Montana aux États-Unis. Là-bas, Louis Riel devint porte-parole pour les Métis du Montana. Il se maria et devint citoyen américain. Louis envisagea de gagner sa vie grâce à l'enseignement et à l'agriculture.

Pendant la période où Louis Riel vécut aux États-Unis, environ 6000 Métis quittèrent la Rivière-Rouge afin de s'établir en Saskatchewan. Mais les colons (homesteaders) ne tardèrent pas à aller s'établir dans cette région également. De nouveau, les Métis ne purent prouver que ces terres leur appartenaient. Le gouvernement canadien commença des travaux d'arpentage, et les tensions montèrent. Les Métis faisaient des rassemblements populaires et envoyaient des pétitions au gouvernement. Leurs demandes étaient ignorées.

À peu près au même moment, les colons manifestaient aussi leur mécontentement envers le gouvernement. Ils se plaignaient que la compagnie de chemin de fer Canadien Pacifique (CPR) demandait trop cher pour expédier les récoltes de céréales vers l'Est. Ils disaient aussi que le gouvernement avait donné trop de terre à la Compagnie de la Baie d'Hudson et au CPR. Les colons voulaient des changements au gouvernement.

Gabriel Dumont joua un rôle militaire important dans la résistance des Métis de la Saskatchewan lors de la Résistance du Nord-Ouest en 1885.

En 1884, Gabriel Dumont, un des meneurs Métis, partit au Montana demander l'aide de Louis Riel pour les revendications territoriales des Métis. Louis Riel accepta l'offre de Dumont de revenir à Batoche, Saskatchewan.

Louis Riel rencontra les colons, les Métis et les Premières nations pour discuter de leurs problèmes. Sous la gouverne de Louis Riel, il signèrent une pétition qu'ils firent parvenir au gouvernement. Comme ils ne reçurent aucune réponse, Louis Riel et ses partisans formèrent un gouvernement provisoire à Batoche. Les colons refusèrent d'en faire partie. Une semaine plus tard, les autorités firent arrêter Louis Riel.

En réplique, Gabriel monta une armée, et la violence éclata. Le premier ministre John A. Macdonald envoya des troupes de 5000 hommes dans la région.

Ces troupes remportèrent la bataille contre les Métis à Batoche. Louis Riel se rendit. Il fut déclaré coupable de haute trahison pour son rôle dans la Résistance du Nord-Ouest, et il fut pendu le 16 novembre 1885.

La bataille de Batoche mit fin à la Résistance du Nord-Ouest. Après trois jours de combat, les Métis et leurs partisans furent vaincus.

Les réalisations et les réussites

L'une des plus importantes réalisations de Louis Riel fut le rôle qu'il joua dans l'intégration du Manitoba dans la Confédération. Le 15 juillet 1870, le Manitoba devenait la cinquième province du Canada. La Loi du Manitoba souligne l'accord acceptable entre les Métis et le gouvernement canadien. Elle a fourni une déclaration des droits reconnaissant le statut de langues officielles au français et à l'anglais. Cette déclaration inclut le droit aux catholiques et aux protestants d'établir leurs systèmes scolaires respectifs. Louis Riel craignait que les Métis devienne le peuple oublié du Canada. La Loi de 1870 sur le Manitoba officialisait leur identité par la reconnaissance de leur langue et de leur religion.

Pour mettre fin à la résistance des Métis, Sir John A. Macdonald accepta la presque majorité des conditions soulignées dans la « liste des droits » des Métis de 1869.

La Résistance du Nord-Ouest à Batoche en 1885 fut la dernière bataille militaire en sol canadien. Louis Riel capitula à Batoche, et la lutte pour les droits des minorités passa du champ de bataille à la salle d'audience. Ce qui signifiait que les générations futures pourraient faire valoir leurs droits par le biais du système juridique.

En 1992, les contributions de Louis Riel à la Confédération furent reconnus. La Chambre des communes le nomma officiellement père fondateur du Manitoba. Histoires, chansons, poèmes, livres et jeux rendent hommages à ses hauts faits. Des écoles, édifices, parcs et rues portent son nom. Une statue de Louis Riel a été élevée sur le terrain du Palais législatif du Manitoba.

LA JOURNÉE LOUIS RIEL

Le gouvernement manitobain a déclaré que la Journée Louis Riel serait célébrée le troisième lundi de février de chaque année. Cette journée rend hommage au Père fondateur du Manitoba et à son héritage. Le Manitoba a officialisé ce congé afin de **commémorer** l'anniversaire de la mort de Louis Riel. Une journée officielle sert ainsi à reconnaître les luttes de Louis Riel ainsi que ses contributions à la fondation de la province. Le thème choisi pour la première célébration de la Journée Louis Riel en 2008 était « The Journey Home » (le retour à la maison). À la suite de la bataille de Batoche, Louis Riel donna sa ceinture fléchée aux membres d'une famille qui lui avait permis de se cacher dans la cave de leur maison. Peu de temps après, Louis Riel se rendait au général Middleton, commandant militaire des troupes canadiennes. Parmi les événements célébrant la première Journée Louis Riel figurait « le retour au Manitoba » de sa ceinture fléchée.

Pour en apprendre davantage sur la Journée Louis Riel, visitez le site **http://web2.gov.mb.ca/laws/statutes/2007/c01807e.php.**

Écrire une biographie

La vie de quelqu'un peut être le sujet d'un livre. Ce genre de livre s'appelle une biographie. La biographie décrit la vie de personnes remarquables, comme celles qui ont remporté de grands succès ou qui ont réalisé des choses importantes qui aident les autres. Ces personnes peuvent vivre de nos jours ou avoir vécu il y a longtemps. La lecture d'une biographie aide à mieux connaître une personne remarquable.

À l'école, on pourrait vous demander d'écrire une biographie. Vous devez tout d'abord choisir la personne sur qui vous voulez écrire. Vous pouvez choisir un meneur, comme Louis Riel, ou toute autre personne que vous trouvez intéressante. Ensuite, voyez si votre bibliothèque propose des livres sur cette personne. Obtenez le plus de renseignements possibles sur cette personne. Prenez en note les événements importants de sa vie. Quelle genre d'enfance a-t-elle eue? Qu'a-t-elle accompli? Quels sont ses buts? Pourquoi cette personne est-elle spéciale ou exceptionnelle?

Un arbre conceptuel est un outil de recherche très utile. Lisez les questions dans l'arbre conceptuel à la page suivante. Écrivez vos réponses dans votre cahier. Vos réponses vous aideront à écrire votre biographie.

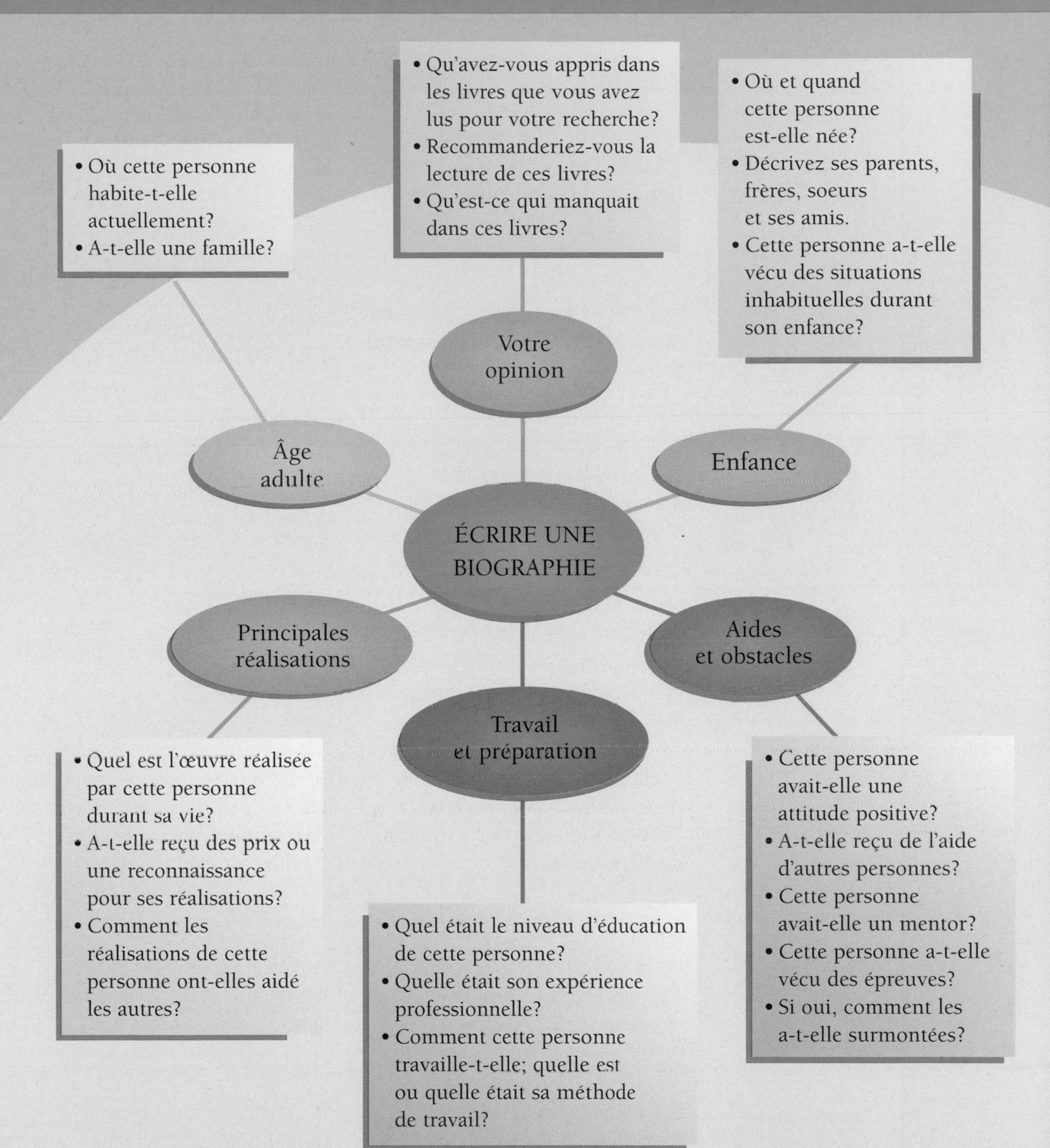
• Qu'avez-vous appris dans les livres que vous avez lus pour votre recherche?
• Recommanderiez-vous la lecture de ces livres?
• Qu'est-ce qui manquait dans ces livres?
• Où et quand cette personne est-elle née?
• Décrivez ses parents, frères, soeurs et ses amis.
• Cette personne a-t-elle vécu des situations inhabituelles durant son enfance?
• Où cette personne habite-t-elle actuellement?
• A-t-elle une famille?
Votre opinion
Âge adulte
Enfance
ÉCRIRE UNE BIOGRAPHIE
Principales réalisations
Aides et obstacles
Travail et préparation
• Quel est l'œuvre réalisée par cette personne durant sa vie?
• A-t-elle reçu des prix ou une reconnaissance pour ses réalisations?
• Comment les réalisations de cette personne ont-elles aidé les autres?
• Cette personne avait-elle une attitude positive?
• A-t-elle reçu de l'aide d'autres personnes?
• Cette personne avait-elle un mentor?
• Cette personne a-t-elle vécu des épreuves?
• Si oui, comment les a-t-elle surmontées?
• Quel était le niveau d'éducation de cette personne?
• Quelle était son expérience professionnelle?
• Comment cette personne travaille-t-elle; quelle est ou quelle était sa méthode de travail?

Tableau chronologique

ANNÉE	LOUIS RIEL	ÉVÉNEMENTS MONDIAUX
1844	Louis Riel est né en 1844 à Saint-Boniface, au Manitoba.	Les colons européens arrivent à la colonie de la Rivière-Rouge.
1858	Louis Riel fréquente le Collège de Montréal pour étudier et préparer son sacerdoce.	L'Inde passe sous le contrôle de la Grande-Bretagne.
1865	Louis Riel travaille comme commis dans un cabinet d'avocats à Montréal.	Le président américain Abraham Lincoln est assassiné.
1869	Louis Riel est élu secrétaire du Comité National des Métis dans la colonie de la Rivière-Rouge.	Le chemin de fer transcontinental des États-Unis est terminé.
1870	Louis Riel est élu président du gouvernement provisoire de la Terre de Rupert et des Territoires du Nord-Ouest.	Sir John A. Macdonald accepte la liste des droits des Métis, et le Manitoba devient la cinquième province de la Confédération.
1880	Louis Riel devient le porte-parole pour les Métis du Montana.	Les bisons sont pratiquement exterminés.
1885	Les Métis perdent la bataille de Batoche et Louis Riel est pendu pour haute trahison.	La construction du chemin de fer Canadien Pacifique est presque terminée.

Recherche plus approfondie

Comment puis-je en apprendre davantage sur Louis Riel?

La majorité des bibliothèques disposent d'ordinateurs reliés à une base de données contenant des renseignements sur les livres et articles de divers sujets. Vous pouvez entrer un mot clé et trouver de la documentation sur la personne, l'endroit ou la chose sur laquelle vous voulez vous renseigner. L'ordinateur vous fournira une liste de livres en bibliothèque qui contiennent des renseignements sur le sujet de votre recherche. Les ouvrages généraux sont classés numériquement, à l'aide de leur cote. Les ouvrages de fiction sont classés en ordre alphabétique, par le nom de famille de l'auteur.

Sites Web

Pour en savoir davantage sur Louis Riel, visitez le site http://metisresourcecentre.mb.ca

Pour un diaporama sur la vie de Louis Riel, allez à www.metismuseum.ca/riel_05750/Louis_Riel2.html

Mots à connaître

aînés : les membres les plus âgés et qui ont le plus d'autorité dans une communauté
autochtone : habitant d'origine d'un pays

commémorer : hommage rendu à la mémoire d'une personne ou d'un événement
Confédération : la formation du Canada en 1867
couvent : communauté constituée de personnes dévouées à leurs croyances religieuses

exilé : banni de son lieu de résidence ou de son pays

Métis : enfants issus d'une union entre européens et autochtones

orateur : une personne qui a du talent pour parler en public

patrimoine : les gens, lieux et culture du passé
provisoire : temporaire

résistance : tentative d'empêcher quelque chose de se produire
Résistance du Nord-Ouest : le soulèvement des Métis et des Premières nations en Saskatchewan en 1885

trahison : l'action de trahir son pays

Index